당신의 밤은 안녕한가요

당신의 밤은 안녕한가요

발　행 | 2023년 11월 28일
저　자 | 새벽
펴낸이 | 한건희
펴낸곳 | 주식회사 부크크
출판사등록 | 2014.07.15.(제2014-16호)
주　소 | 서울특별시 금천구 가산디지털1로 119 SK트윈타워 A동 305호
전　화 | 1670-8316
이메일 | info@bookk.co.kr

ISBN | 979-11-410-5558-5

www.bookk.co.kr

당신의 밤은 안녕한가요
W. 새벽

CONTENT

이 책을, 나의 10대를 알고 있는 사람들과,
나의 10대를 모르고 있는 사람들에게 보냅니다.

이 책이, 지금 읽고 있는 그대에게 어떻게 닿을지 감히 예상도 안되고 모든 것이 예측불가이지만, 조심스럽게 건네는만큼 당신에게 알맞은 형태로 다가갔으면 좋겠어요.

처음 내는 책이고 서툰 부분이 많을테지만, 그래도 잘 읽어주셨으면 좋겠습니다.

제가 좋아하는 말이 있어요.
'새벽은 낮보다 예뻐.' 와, '니가 바란 별들은 어둠 속에서만 뜬다는 걸 절대 잊지 마.' 라는 노랫말을 좋아합니다.

그런 말들이 딱 들어맞게, 지금 읽으려고 하는 그대의 앞날이 봄날과도 같이 따뜻했으면 좋겠어요.

따뜻하게 다가갔으면 좋겠습니다. 감사해요.

첫 번째 형태
아침이 오기에는 아직,

아직 닿기에는, 먼 태양의 햇살에
조금 더 뻗어보기로 한다.

그대는 하늘이길 바랍니다.

고운 들꽃을 품은 작은 언덕배기는 풍경을 담았고,
새파란 풀잎에 내려앉은 이슬은 마음을 담았소.

투명하기 짝이 없는 이슬은 그 풀잎마저도 투명하게
보여주지만,
이슬은 투명하게 보여주지 않지요.

언덕배기는 고운 풍경을 담아 들꽃마저 환히 돋보이나,
들꽃 하나의 아름다움을 보여주진 못합니다.

옅은 여림은 하나의 작은 구름을 보여주지만,
그 구름에 닿지는 못하오.

그러니, 그대는 그저 하늘만이 되어주길 바라오.
하늘은, 모든 것을 보고 잘 돋보이게 해줄 터이니.

내 눈 앞의 별들은 너무나 멀어요,

내 눈 앞에 보이는 별들은 거대해서,
감히 올려다볼 수 없을 거라고 생각할 겁니다.

그러나, 막상 하늘에 올라가서 보는 별들은,
그냥 찬란하게 빛나며,
내 시야 아래에서 빛나고 있을 뿐이죠.

선불리 겁 먹은 마음으로 별들을 보지 않을 생각말고,
가끔 하늘에서 올려다보며
그렇게 위안을 삼아도 괜찮지 않을까요

땅 위의 사람들은 몰라요,

그치만, 구름에 가려진 그대의 빛과
달만큼 큰 존재감은 숨길 수 없어요.

그래서, 나도 모르고, 별도 모르고,
누구도 몰라도,

달은 알아요. 당신이 얼마나 애쓰면서
이 길을 달려오고 있는지.

사막 속의 외로운 걸음

어깨에 무거운 짐 여러 개를 올려놓고
사막을 헤맵니다.

그 사막은 모래로 뒤덮혀 있음에 숨이 막혀와요.
그 사막 속에서 사람의 흔적을 찾아 헤매지만,
사람 흔적 하나 보이지 않아요.

그렇게 오랜 기간을 혼자, 나 혼자 걸어가다 보면
주변에는 오래 보던 몇몇의 동물들만 남아있을 뿐
그 무엇도 보이지 않아요.

그런 사막에서 물이 고파서 바다를 헤매요.
그 고픈 바다를 헤매는 과정 속에서
쉬운 건 하나 없습니다.

어두운 생각을 지배한 것은,

' 혼자 ' 라는 생각에 한 번,
' 없다 '에 두 번
' 시험 '에 세 번

그렇게 일 년 지날 때마다 상처를 내어가요.
그 상처가 작은 상처라면 별 거 아닐 인간관계와,
사회생활에서 크고 작은 상처들로 여러 번을 다쳐요.

그 다침이 여러 번이면 무뎌지고
바다를 찾았을 때는 이미 상처투성이로 많이 망가져있죠.

사막 속의 외로운 걸음 - 2

바다 찾고 찾았던 것이라 힘껏 들이켰는데,
그래도 목이 말라.

그래서 다른 바다를 또 고파해.

나는 또 얼마나 아파야 할까.

별 하나, 별 둘

별 하나의 사람과
별 하나의 추억과
별 하나의 동정함과
별 하나의 소원
별 둘의 원망
별 하나의 바램

- 윤동주 시인의, 별 헤는 밤 각색

그만할까,

광활한 어둠 사이에 혼자 서있는 나

그 어둠에는 도와주는 사람들 하나 없이 나 혼자 버텨내
그 하루가 너무 버거워서 나름대로 살아가지만,
그 마저도 버겁고 힘들어

그 버겁고 힘든 삶 어떻게든 해보겠다고 아등바등 거리는
내 하루가 너무나도 역겨워

역겹다 못해 더럽다.
응, 더러워서 다 그만두고 싶어.

그만두고 싶다가도 주변에는 좋은 친구들이 너무 많아
아직 삶에 미련이 너무 많아

그 미련에 자꾸 뒤돌아보고 자꾸 멈춰보기도 해
근데 이 하루가 이젠 너무 힘들고
그만두고 싶다는 생각이 요즘들어 더 들기 시작하고
다 그만하고 싶어

아직은 괜찮아.

조금 나만 생각하면 어때
아직 나는 열일곱인데.

달 님, 제 소원은요

달님, 제 소원은요
하루빨리 그 사람들을 잊는 거예요

달님, 제 소원은요
하루빨리 제 다친 마음을 치료해줄 사람을 만나는 거예요

달님, 제 소원은요
내가 사라지는 거예요

달님, 제 소원을 이뤄주실거죠?
세 번째만은 이루게 도와주세요

너와 나 사이의 의무적 거리

우리는 거리를 둬야했고, 둬야하고, 둘 것이다.

그래서 보고싶은 친구도 맘 편히 보지 못하고
다시 뒤돌아서 봐야 괜찮다고 한다.

그 하루가 언제까지 이어질지는 장담을 못하지만,
하루빨리 나아져서 너를 다시 볼 수 있기를.

이 별이, 우리의 사이를 좀 더 좁혀주기를.

우주에게

우주야, 나 소원이 있어. 들어줄 수 있을까.

나는 말야, 있잖아. 나쁜 병에 걸려서 시한부로 남은 생을 세상에서 제일 행복하게 살다가 죽는거야.

그런데 있잖아, 또 한편으로는 더 살고 싶기도 해.

나 없는 이 세상에. 내가 힘이 되어준 사람들이 남아서 나를 너무 그리워할까봐 겁나. 나를 잊을까봐 겁나.

근데 다시 또, 솔직하게 말하면. 나를 잊어줬으면 하는 바람도 있어. 내가 기억하니까 괜찮을 거 같거든.

그래도 나 얼마 남지 않은 학창시절은 보내고 가게 도와주라. 그때까지만이라도, 이 사람들을 눈에 담고 가고 싶어.

내가 만든 달과 네가 만든 달

네가 만든 달은 찬란하기 그지없는데,
내가 만든 달은 왜 한없이 탁해보이기만 하는지.

전해주는 불빛

한없이 어두운 불빛에,
나도 어둡기만 한 불빛을 내비춰주며 위로해줄 수 없어서
나는 또 밝은 불인척 열심히 쏟아내어 너에게 건넨다.

내가 사랑하는 바다

바다가 눈 앞에 보이고
밤하늘이 별빛에 눈부셔 빛날 때.
나는 기꺼이 바다를 삼키고,
하늘을 삼켜 그 거대함을 삼킨 고통을 안고 바다에.
내가 삼킨 바다에 뛰어들겠다고.
누군가에게 말했다.

많이 지쳤다.

땅 속 저 끝 너머까지
나를 밀어넣고 나서야 안심하는 내가.

정말 바닥까지 다시 내려가고 나서야
만족하는 내가.

정말 깊은 심해 속으로 들어가고 나서야
내가 살아있음을 느끼는 내가.

이제는 지쳐서.

괜찮을까

나의 목을 조르고
나의 손목에 날카로운 것을 대고
나의 영혼을 팔아넘기고
나의 마음을 전부 내어주고

이젠 껍데기만이 남은 내가,
뭘 할 수 있을까.

안대

눈을 가리고 빛은 보이지 않아서
꼭 안대를 쓰고 있는 거 같아.
나 이것 좀 벗겨줄래요? 빛을 보고싶어.
캄캄한 밤에서 벗어나고 싶어.

두 번째 형태
어두운 곳에 빛이 찾아와

어두운 동굴 안에서
희미한 빛이 발끝부터 서서히 나를 감싸기 시작한다.

따뜻한 빛

날 스치는 바람
그 바람을 따라
너의 세상으로 들어가면
그 하늘엔 달이 떠 있고
별과 함께 빛을 내고 있어

나의 친구를 위한,

어두운 방
불 하나 없이 달빛 하나가 비추는 밤
그 달이 외롭게 방을 비추고 있는 거 같아
친구를 만들어줬다, 별이었다.

괜찮아

하나를 맞던, 두 개를 맞던 너가 만족하면 된 거야.
남들 말 다 필요없고, 너가 만족하면 돼.
너가 괜찮으면 돼.

시간아, 조금만 부탁할게

아픈 기억이던, 좋은 기억이던.
그냥 남겨두면 어때.

그냥 놔두면 어때.
지우려고 하지말고, 그냥 추억처럼
그냥 때가 되면 지워지거나 흐릿해지기 망정이니.

그냥 시간에 맡기자.

나는, 달의 친구

달이 외로워보여, 별도 안보이는 유난히 긴 밤에.
말동무라도 되고파서 내가 저 하늘의 별이 되고 싶은 밤이야.

달

달이 하얗게 예쁘게 피어난 밤
다른 달들이 너무나도 예쁘게 빛나서
너가 보이지 않았다.

너에게 보내는 편지

연기가 자잘하게 피어서 하늘로 올라가 구름이 되고,
그 연기들이 흩어져서 또다시 나락으로 떨어져서
비가 됨을 반복한다.

그 나락과 상승을 반복적으로 경험하다가 보면
나도 나 자신에게 지쳐서 나를 뇌버리는 지경에까지
오는데, 너는 그러지 않았으면 좋겠어.

나는, 나야.

나는 당당한 사람이고,
나는 행복할 수 있는 사람이고,
나는 아프지 않을 수 있는 사람이야.

나는 나고,
그것에 대해 이유는 없어
내가 나인 것에 왜 이유가 붙고 수식어가 붙고
거창한 것들이 붙어?
나는 나일 뿐인데.

남들이 뭐라고 해도 나는 나야
남들이 이상하다고 해도 나는 나야
남들이 자신과 다르다고 해도 나는 나야

나는 나야
그래서 확신해, 나라는 것에

이게 난데, 뭐가 더 필요해?

너와 함께하는 여름

너란 나무 그늘 아래에서 쉬어가는 여름
그 나무가 오래오래 내 곁에 있기를

너에게 나는,

그래, 지나가.
너에게 왔던 인연도, 나에게 왔던 인연도
학업이라는 인연도 학창시절이라는 시간도.

근데 너무 오래 지나간다.
좋은 것들은 바람처럼 짧게 머물다가 가는데
힘든 것들은 너무 오래 지나간다.

너무 젖어서 푹 젖어버리면
너무 무거워서 내가 가라앉을 거 같은 느낌이야.

나에게 왔던 좋은 지인은
짧게 머물다 가는 인연이 되고

나에게 왔던 나쁜 지인은
길게 머물다 가는 악연이야

그래서 너에게 나는 어떤 지인이야?

너에게 내가 해주는 말

오늘따라 생각이 많고 울적해지는 밤

혼자있고 싶은 마음에 문까지 걸어 잠기고
적막 가득한 곳에 있자니 마음이 다시 무거워져서
노래를 틀어봤어

조금은 잔잔하면서 훅 다가오는 노래에 어쩔 수 없이 나는 또 반응해서

나의 눈에서는 따뜻한 비가 내려
어디에선가 비는 맞으라고 내리는 거라는 말에
쉬지 않고 시원하게 내리는 비가 조금은 후련해

그래서 오늘의 내가, 어제의 너에게
또다시 내일의 내가, 오늘의 나에게 건네고 싶은 말은

' 비는 맞으라고 내리는 거야.
그래서 우산을 싫어해. 비는 맞으라고 내리는 건데
우산이 그걸 방해하거든. '

이걸 내가 좋아하는 책에서 봤고 지금도 좋아해, 이 말을.

너의 오늘의 기분이 어떻든
그냥 있는 너를 잘 보듬어 주었으면 좋겠어.

서투른 나의 마음이 너에게 닿기를 바래.

각자의 별

사람들은 저마다의 별을 가지고 태어나.
그걸 일찍 발견하고 늦게 발견하고의 차이지.
너는 그중에서 늦게 발견한 것 뿐이지.
안 빛나고 있는 게 아니야.

당신의 꿈

그대의 꿈은 누구보다 멋있는 꿈이예요.

위축될 필요없어요.
뭐 어때요.
내가 원하는 일이고, 원하는 직업일텐데.
그냥 자랑스럽고 멋진 목표 하나 가지고 있는 거예요.
당신이 나아갈.

세 번째 형태

보랏빛 형태의 구원

보랏빛으로 예쁘게 물든 그들은,
순간의 빛으로 마음에 들어와 크게 자리하고 있었다.

달

짙은 남색으로 물든 하늘에 덩그러니 서있는 너
그 하늘에는 달이라는 환한 별도 있지만,
어째서 너에게 더 눈길이 가.

너가 길에서 쓸쓸히 걷는 나와 같아보여서인지
아님 혼자 환하게 비추어주는 탓인지
괜히 시선을 끌어

나의 장미들

서로 다른 색의 장미 일곱 송이가 모여
한 송이의 꽃다발이 되었다.

너의 밤하늘을,

황홀하게 내가 너의 너의 밤하늘을 비추지는 못해.
근데, 그래도 수많은 별들 중에
내가 너의 하늘을 비춰볼게.

너와 함께하는 사계절

뜨거운 계절에도 너와 나의 사랑이 잔잔하길
여름이 끝나고 선선한 가을에도 조금 춥지만
따뜻한 겨울에도 네가 곁에 있기를

그대가 제일 예뻐요

나는 세상에서 당신이 제일 예뻐요.
내가 달을 좋아하고 별을 좋아하고는 상관없이.
그냥 그대가 세상에서 제일 예뻐.
태양처럼 빛나는 존재인 당신이 너무 예뻐.

그대들이 나의,

생각해보니, 내 세상은 당신들이 일으켜주었어요.
고맙다는 말을 해주고 싶었어요.
고마워요. 나의 세상을 일으켜줘서.
고마워요, 나의 세상에 나타나줘서.

Inner Child

그때의 너, 참 많이 힘들었지.

너무나 먼 저 바다의 별, 올려다보면서.

그때의 넌, 은하수를 믿지 않아.

하지만 난, 봐버렸는 걸. 너의 은색 galaxy

아팠을 거야. 너무 힘들었을거야.

- 방탄소년단 뷔, ' inner child ' 개사

꽃 정원

내 안의 보라색.
너는 처음 들고 왔던 푸른색과
내가 갖고 있던 너에 대한 마음 붉은색을 곱게 저어
내 마음을 커다란 보라색으로 물들인다.

사랑

말로 표현하기에는 턱없이 어휘력이 낮아보이고
몸으로 표현하기에는 동그란 모양의 이응을,
살짝 찌그러뜨려 보여주는 것밖에 할 수 없어서

오늘도 너를 그냥 열심히 불러본다.
부르면 너도 조금은 알아듣겠지 싶어서.

작가의 말

안녕하세요, 새벽입니다.

처음 적어보는 작가의 말에 감회가 새로워요.

지금 책에 담겨있는 글귀는 저에게는 큰 의미가 가득히 담겨있는 글귀들입니다.

학창시절. 꽤나 힘들게 버텨왔다고 지금도 생각합니다. 그 당시, 꽤나 진지하게 미래를 생각해봤고 그로인해 자신과의 타협이 잘 안됐었다고 생각하고 있어요.

그 속에서, 저를 잘 다독여준 친구들에게 고맙다는 말을 해주고 싶어요.

정말 얘기할 곳 하나없는 상황에서 정말.
정말 대나무 숲이 되어준 친구들에게, 매일매일 고맙다는 말을 달고 살아도 시원찮지만. 그게 잘 안돼요.
표현을 그렇게 잘 하는 타입도 아닌 터라, 더더욱 어렵습니다.

원래 진심을 전하는 것이 더 어렵다고 하잖아요
그래서 이 작가의 말을 빌려 고맙다는 말을 하고 싶습니다.

앞으로도 오래오래, 우리 친구하자.

그리고, 그때 당시에, 만난 아이돌이 '방탄소년단'입니다.
여전히, 6년째 그들을 좋아하고 있어요.

언제나, 힘이 되었고, 지금도 힘이 되어주고 있는 그들이. 지금도 제 삶에 영향력이 아예 없다고는 말하지 못할 정도로 그렇게 고마운 마음이 많아요.

불과 몇 시간 전에, '골든'으로 컴백한 정국 님의 쇼케이스를 봤어요. 끝에서 두 번째 곡으로, 'Magic Shop'을 부르는데 울컥하더라고요.

음악에는 추억이 담겨있다고 생각하는 사람으로서, 지금 듣고 있는 '둘, 셋'도 조금 새롭네요.

'Magic Shop' 안에는 익숙한 가사가 있음을 아미들을 아실 거예요.

" So Show me, I'll show you. "

항상 아미들이 외치는 부분인, I'll show you.

그 부분을 외치면서 매일 드는 생각은,
나의 꿈에 도달해서 이게 그들에게 닿았으면 좋겠다는 생각을 합니다.

닿았으면 좋겠어요, 정말. 언젠가는 꼭. 닿았으면 좋겠어요.

닿아서, 이 진심이 전해졌으면 좋겠습니다.

7명이서, 사람 한 명을 살렸다고. 그들이. 한 명의 꿈을 꾸게 했고, 한 명의 삶을 일으킬 수 있는 힘을 주었고, 한 명에게 자신을 사랑하는 법을 알려줬으니 탄탄하게 지탱하고 있는 어떤 하나의 그 자부심 안에 잘 자리했으면 좋겠다고.

고맙습니다, 보랏빛으로 물들 수 있게 만들어준 7명에게 정말 진심을 담아 고맙다는 말을 하고 싶어요.

고마워요, 그리고 사랑합니다.
사랑이라는 말 말고는 이 마음을 표현할 수 없어서
나의 어휘력으로는 가장 최고의 말인 사랑을 표현합니다.
오래오래, 가수 해주세요.
나의 가수로 나타나줘서 감사해요. 보라해요.